REGRESSO A CASA

poemas

Edição apoiada pela Direção-Geral do Livro,
dos Arquivos e das Bibliotecas / Portugal

JOSÉ LUÍS PEIXOTO
REGRESSO A CASA

poemas

PORTO ALEGRE SÃO PAULO · 2020

Copyright © 2020 José Luís Peixoto
Edição publicada mediante acordo com Literarische Agentur Mertin,
Inh. Nicole Witt, Frankfurt, Alemanha

CONSELHO EDITORIAL Gustavo Faraon e Rodrigo Rosp
PREPARAÇÃO E REVISÃO Rodrigo Rosp
CAPA E PROJETO GRÁFICO Luísa Zardo
FOTO DO AUTOR Patrícia Pinto

DADOS INTERNACIONAIS DE
CATALOGAÇÃO NA PUBLICAÇÃO (CIP)

P379r Peixoto, José Luís.
Regresso a casa / José Luís Peixoto.
— Porto Alegre: Dublinense, 2020.
112 p. ; 19 cm.

ISBN: 978-65-5553-010-0

1. Literatura Portuguesa. 2. Poesia Portuguesa.
I. Título.

CDD 869.19

Catalogação na fonte:
Ginamara de Oliveira Lima (CRB 10/1204)

Todos os direitos desta edição
reservados à Editora Dublinense Ltda.

EDITORIAL
Av. Augusto Meyer, 163 sala 605
Auxiliadora • Porto Alegre • RS
contato@dublinense.com.br

COMERCIAL
(11) 4329-2676 • (51) 3024-0787
comercial@dublinense.com.br

Repara na manhã que nos rodeia.
Saúda essa claridade, é um sopro
a correr-nos nas veias. Em tempos,
escrevi: quando me cansei de mentir
a mim próprio, comecei a escrever
um livro de poesia. Hoje, voltei a
aprender essa lição e, por isso,
estou aqui, estamos aqui. Por isso,
acendi a existência que nos rodeia
e nos preenche, que está em toda
a parte apenas porque estamos
parados diante desta palavra:
manhã.
Repara na lonjura que se estende
no interior da letra a, é claridade,
saúda-a. Repara no til, tão tímido
como certos sorrisos nossos.
Um livro de poesia, outra vez.
Uma pequena casa, habitada
pelo nosso tempo, pelos gestos
que fazemos dentro de nós,
reflexos ou sombras invisíveis,
memórias e toda esta claridade.
Estamos vivos, repara. Um livro
de poesia, como uma trégua secreta,
uma janela, como os teus olhos

a verem-me em silêncio, ou os meus
olhos a verem-te. Um livro de poesia,
como um regresso a casa.

―

ODISSEIA

Eis Ulisses em seu longo caminho, avança pelas vagas,
como avança pelos versos, como avança pela espera
de quem olha o horizonte em Ítaca. Eis Ulisses
com seu humano propósito.

A guerra de Troia é uma porta que fechou ao sair, saiu
desalmado; também pode ser uma idade, ou a pessoa
que Ulisses já não quer ser. Sim, a guerra de Troia é a
pessoa que Ulisses já não quer ser.

A embarcação de Ulisses pode ser uma bicicleta
ou um táxi, não importa, pode ser um passeio a pé,
de mãos nos bolsos.

Os dez anos de viagem até Ítaca podem ser dez minutos,
podem ser um telefonema rápido, um vulto
que se distingue ao longe ou, mais provavelmente,
podem ser a vida inteira. Sim, os dez anos de viagem até Ítaca
são a vida inteira.

E, claro, Ulisses és tu. Já tinhas percebido, não?
Ulisses és tu, a guerra de Troia és tu, és toda a viagem,
és Ítaca também.

Haverás de chegar. Na hora certa, terás de chegar.
Já te esperam.

―――

Este navio dispensa o leme. Estes marinheiros dispensam o mapa. Foram contratados pela forma do nome e do rosto, com mínimas habilitações literárias, ironia máxima. O mar sabe conduzir o navio. As correntes e as tempestades são a sua verdadeira tripulação. Destes marinheiros, apenas se exige nomes bons de citar, rostos bons de esculpir e, claro, um comportamento adequado, que oscile entre o apolíneo e o dionisíaco. Todas as sílabas dos seus nomes devem ser pronunciadas, de modo a que poetas elevados e pessoas de bom gosto possam dizer Euríloco da mesma maneira que diriam torneira, possam dizer Perimedes e iluminar uma frase, dar elegância a uma ideia. Estes nobres marinheiros são sobretudo arquétipos, desempenham essa função com bravura, navegam com destreza na origem etimológica das palavras. Aquela nuvem podia ser um arquétipo, uma pena levada pelo vento podia ser um arquétipo, mas faltava-lhe o valor do tempo acumulado: uma espécie de condensação, comparável ao processo que forma diamantes nos secretos segredos da terra. O mar que rodeia o navio é literalmente feito de diamantes, mas não é por isso que se dispensa leme e mapa nesta viagem. Ao longo de cantos identificados com numeração romana, o percurso já está definido, é único e inevitável. Ulisses foi atado ao mastro apenas para causar efeito dramático.

———

Quem espera depende de quem chega.
Mas quem chega, para saber que chegou,
depende de quem espera. Penélope é
Ulisses e, ao mesmo tempo, Ulisses é
Penélope. Quem passa dias a fiar e
noites a desfazer o que fiou cumpre
o mesmo caminho de quem passa dias
a navegar e noites também a navegar.
Penélope tem barba, Ulisses tem útero;
Penélope tem barba, Ulisses também
tem barba; Penélope tem útero, Ulisses
também tem útero. Orgulhamo-nos
do século XXI e, por isso, sabemos
que qualquer uma dessas opções é
válida, o que conta é o paradigma,
o que conta é a estrutura exemplar
oferecida pelo paradigma: alguém
venceu a guerra de Troia, alguém
pariu Telémaco.

———

QUARENTENA

Olhamo-nos nos olhos pela internet.

Eu transmito-te este domingo à tarde,
a voz do vizinho através da parede.

Tu transmites-me a distância que existe
depois do que consigo ver pela janela.

Durante a noite mudou a hora e, no entanto,
continuamos no tempo de ontem.

Como é raro este domingo, não podemos
garantir que amanhã seja segunda-feira.

O futuro perdeu-se no calendário, existe
depois do que conseguimos ver pela janela.

O futuro diz alguma coisa através da parede,
mas não entendemos as palavras.

Lavamos as mãos para evitar certas palavras.

E, mesmo assim, neste tempo raro, repara:
tu e eu estamos juntos neste verso.

O poema é como uma casa, tem paredes
e janelas, é habitado pelo presente.

Olhamo-nos nos olhos pela internet,
estamos verdadeiramente aqui.

O poema é como uma casa,
e a casa protege-nos.

(29 DE MARÇO DE 2020)

———

Quarentena

Acredito que estou aqui, rodeado por realidade
e temperatura, tenho na boca um sabor acre,
talvez devesse beber um copo de água, não sei
se me espante com esta verdade existencial,
aparentemente simples e, logo a seguir, tão feita
de milagre, esta realidade composta por imagens
a poucos metros de mim, formas completas e
cores sem falta de luz, teriam a mesma nitidez
se estivessem refletidas num espelho e, no entanto,
não custa acreditar que estou aqui, o meu corpo
pesa sobre o lugar que ocupa, o meu nome pesa
sobre cada uma destas palavras, as sobrancelhas
pesam-me sobre os olhos, acredito que estou
aqui e, por isso, confiando na lógica, acredito que
este tempo existe, existência que imita o tom diário
com que se anuncia o número de infetados e de
mortos, 295 até agora, o silêncio da estrada vazia
é um apito contínuo nos ouvidos, o ar mantém
o seu talento transparente para separar as coisas.
Acredito que estou aqui, rodeado por mobiliário,
volumes de poesia completa nas estantes, um cão
velho a dormir profundamente, chá que arrefeceu
há muito tempo e se transformou apenas na calma
flutuante do seu perfume, inspiro este momento com
toda a força dos meus pulmões, aquilo que sinto
é um mundo, estou no centro do seu interior, inspiro
aquilo que sinto com toda a força dos meus pulmões,
olho para longe, à distância de um mês, de um ano,

mas o meu olhar esbarra num muro opaco, os tijolos
são perguntas, o cimento são perguntas, futuro?,
as respostas avariaram-se como brinquedos antigos
de corda, ou de pilhas, as respostas foram canceladas,
voos cancelados para países que deixaram de existir.
No entanto, chegará um tempo, rodeado por outras
certezas, e recordarei este inverno que não queria
acabar, a idade que o meu filho tinha nesta altura,
a idade que eu próprio tinha, e esta experiência que
agora é novidade a cada segundo irá transformar-se
num incrível convencimento. Verdadeiramente incrível
é imaginar esse tempo agora, mas será assim por força,
esse tempo existirá com a louca arrogância do futuro,
e todo este abalo será inofensivo como uma lata de
fruta que passou do prazo de validade, como uma
velha que foi uma mulher muito bonita, como os olhos
dessa velha ainda a brilharem no meio do seu rosto,
soterrados por ele, como a inútil memória de janeiro
no epicentro escaldante de uma tarde infinita de agosto.
Então, apenas serei capaz de lembrar que este cão ainda
estava vivo porque o refiro no poema, este cão concreto
a ressonar num canto da sala e num canto do poema,
as costelas a encherem-se e a esvaziarem-se de ar,
este cão exausto a ladrar às vezes em sonhos agitados.
Acredito que estou aqui e, a despropósito, acreditarei
que estive aqui, não faço a barba há mais de um mês,
transformo-me devagar noutra pessoa.

(6 DE ABRIL DE 2020)

As águas passam a velocidade
constante, o rio é um corpo. As
letras avançam pelas palavras,
avançam pelos versos, compõem
o poema. O poema é um corpo,
passa a velocidade constante.
A palavra medo não pode faltar
no poema, é levada pela corrente,
medo, palavra entre palavras,
distinta por um momento, medo,
e indistinta logo a seguir, passou
como passa tudo e, no entanto,
o seu significado permanece
ao longo dos versos seguintes,
alastra, contagia todo o poema,
ressoa, o medo ressoa até ser
inseparável das outras palavras,
até todas as palavras significarem
medo, como água ou como a força
da água, como velocidade constante.
O medo é grande e único, é um corpo.
Na margem do rio, estou sentado
num sofá. Vejo notícias na televisão,
como se assistisse à passagem do rio.
Deus, és tu que tens o telecomando?

(8 DE ABRIL DE 2020)

Sonhei com amigos que não vejo há muito tempo ou
talvez tenha sonhado com a ideia de amigos que
não vejo há muito tempo. Não recordo os seus nomes,
a tinta com que estavam escritos desbotou na água
ou no sol da comprida fronteira entre sonhar e
estar aqui, necessitado de substantivos tangíveis.
Não recordo os seus rostos, cobertos por sombras,
segredos, denso nevoeiro, erosão de uma memória
especialmente imperfeita, pa avras inc mp etas.
Recordo que eram meus amigos, felizes por ver-me.
Recordo que tinham muitas notícias para contar.
Recordo que, de repente, nos apercebemos de que
não estávamos à distância de segurança e, por isso,
precisámos de acordar imediatamente.

(9 DE ABRIL DE 2020)

———

Então, descobrimos que tínhamos quantidades enormes de mel e de chá na despensa. Acumuladores de mel e de chá, o que diz isto sobre nós? Não temos a certeza de que tenha qualquer significado, mas esperamos que sim.

(11 DE ABRIL DE 2020)

Rego os vasos da varanda e, de repente,
sinto falta do olhar da minha mãe, menina
das fotografias a preto e branco.

Sou um filho de 45 anos.

Procuro consolo no telefone a chamar,
na repetição deste sinal interrompido.

Procuro consolo nesta espera, tempo
em que imagino os teus passos agora lentos,
a tua preocupação.

Mãe,
não tenhas pressa de atender o telefone
e de acabar com este tempo.

Mãe,
este tempo existe como tempo que
não existe.

Mãe,
não saias de casa,
nunca saias de casa.

És a última velha da minha vida.

(12 DE ABRIL DE 2020)

DIÁRIO

As estantes são ruas. Os livros são casas onde podemos entrar
ou que podemos imaginar a partir de fora. Há livros que
[visitámos
e há livros onde vivemos durante certas idades, conhecemos
cada uma das suas divisões, trancámo-nos por dentro.
Fomos jovens durante tantos capítulos mas, de repente,
um dia, apercebemo-nos de que restavam cada vez menos
páginas entre o polegar e o indicador. Então, protestámos
contra a morte, dissemos que os livros de 600 páginas
não deviam terminar nunca e, logo a seguir, identificámos
o contrassenso da frase. Essa é a desvantagem de ler livros:
prestamos demasiada atenção às extravagâncias da sintaxe.
Ainda assim, aproveitamos os lucros da notalgia, stock
infinito de tardes de um verão antigo. Éramos tão jovens,
e alguém nos acertou com um livro. Olhámos em volta
para achar o fantasma que o atirou, está aí alguém?
Quando voltámos ao nosso campo de visão, já estávamos
num lugar com parágrafos, a dizer que as estantes são ruas
e que os livros são casas, enquanto que os outros, todos eles,
diziam que as estantes são estantes e os livros são livros.

―――

Secção de poesia

Abrem o porta-moedas com a ponta dos dedos e,
nesse momento, são como viúvas no supermercado.
O que tiveram de fazer para ganhar aquele dinheiro?
Não sei nada sobre as suas vidas, mas é fácil perceber
que não falta economia onde pudessem empregá-lo.
Contra a lógica, escolheram o investimento mais instável.
Trocam o seu dinheiro, concreto, sensato, aceite em
bancos que o valorizariam a prazo ou à ordem, por isto:
letras dispostas sobre uma página branca, pontuação
desperdiçada sobre a neve, vírgulas e pontos que
modelam um sopro.

―――

As páginas dos livros colam-se aos dias, carregamos ecos. Quando nos chamam leitores, não sabem nada sobre nós. Suportamos segredos como falhas tectónicas, vertigens que nos puxam. Movemo-nos como sombras no interior desse mistério. Há uma música que nos enlouquece, que nos ensurdece e, mesmo assim, não conseguimos parar de segui-la. Chamam-nos leitores, mas não sabem nada sobre nós.

———

Perante o choque do impensável, transformei-me todo em inverno. Não seria agora capaz de levantar as mãos, de ordenar-lhes o início de um gesto. As minhas mãos são agora distantes como montanhas imprecisas, existem muito para lá do firmamento, noutro continente talvez, li sobre essas montanhas em alguma revista, esqueci o nome dessas montanhas.

―――

Olho agora para o livro que me emprestaste
e que nunca devolvi. Também ele olha para mim.
Tem as marcas da tua leitura, certos vincos
no branco das páginas, manchas subtis e difusas
como nuvens, restos das tuas mãos ou do teu olhar.
Espero que não penses sobre mim o que penso
sobre as pessoas que nunca me devolveram
os livros que emprestei. O que pensarás tu
sobre mim? Nunca li o livro que me emprestaste,
preferi sempre imaginá-lo. Suponho que ainda
se sinta estrangeiro entre os meus livros,
mas agora é demasiado tarde para devolvê-lo,
há tanto tempo que não falamos, não sei
se ainda guardo o teu número de telefone.
O que pensarias se agora, a despropósito,
te quisesse devolver o livro? Havias de pensar
que queria alguma coisa. Sabes, fico com o teu
livro porque não quero nada. Provavelmente,
nunca te devolverei este livro, fará parte do
meu espólio, é a última ligação que temos.

―――

Certeza

Num momento, acerta-nos a certeza de tantas manhãs
    [desperdiçadas.
De repente, este inverno é o último e os nossos braços
    [esticados não chegam
ao fim de março. A criança que transportamos debaixo de
    [tudo, dentro de tudo,
pergunta: e agora? Agora, não há mais respostas do que
    [esta grande resposta.
E não nos podemos queixar de falta de aviso, sempre
    [soubemos
que todos os objetos possuem sombra. Tivemos férias de
    [verão e idades,
tivemos terças-feiras, semanas que passaram demasiado
    [depressa. E agora?
Agora, agarramo-nos a cada minuto deste entardecer e,
    [num momento,
sabemos por fim que aquilo que importa é pouco e raro.

―――

Em momentos espantosos, passeei de mãos dadas com
 [os meus pais.
Essa recordação chega-me em pequenos goles, como se
 [a provasse
de um pequeno cálice, a minha mãe de um lado e o meu
 [pai do outro.
Eu era a criança. Seguia absolutamente seguro nesse
 [caminho que,
quase sempre, era a rua Augusta, os anos oitenta do
 [único século
que conhecíamos. Recordo o meu pai e a minha mãe
 [desse tempo,
a minha mãe nova, o meu pai vivo, e parece-me agora
 [imensa
a responsabilidade de carregar a imagem dos seus rostos,
 [o ténue
registo das suas vozes, a memória daquela segurança,
 [certeza infantil
e inabalável que tento ainda sentir. Mas falho porque me
 [esforço
demasiado. Antes, não conhecia sequer esta exigência,
 [este abismo,
passeava de mãos dadas com os meus pais e o tempo
 [acabava ali.

―――

As primas

Aí vão as minhas sobrinhas. São como um êxodo de nuvens no céu, afastam-se muito lentamente. Sei que não se importam de ser comparadas com um rebanho, quatro ovelhas apascentadas por um anjo. Às vezes, troco-lhes os nomes. Como quando nos cruzamos com alguém a meio da manhã e, por distração, dizemos boa noite. Chamo Patrícia à Rita, chamo Inês à Carolina, chamo Carolina à Patrícia, chamo Rita à Inês e, em certos momentos, por sorte, chego a chamar Carolina à Carolina. Boa noite antes do meio-dia, que vergonha, o que ficarão a pensar essas pessoas? Mas as minhas sobrinhas não são *essas pessoas*, entre mim e elas não há distração. Se lhes troco o nome é porque sei que a Patrícia já foi a Rita, a Inês vai ser a Carolina daqui a pouco, sei também que a Patrícia e a Inês se riem da mesma maneira, escolhem os mesmo adjetivos, sei que a Carolina e a Rita podem ficar juntas em silêncio durante muitas horas, poderão sempre. Troco-lhes os nomes, mas sei exatamente quem são, quem é cada uma delas, carrego esses retratos detalhados.

———

Pai, apresento-te o João e o André.
Estão aqui com a mesma verdade
com que estavas aqui. O André tem
a cara de quando terminaste de ser
aprendiz de marceneiro, o João tem
a cara de quando andavas lá pela
França, a descobrir aquelas terras
no alto de um andaime. São estes
os meus filhos, pai. Dou-lhes o que
me deste, não apenas o bom. Olha
para eles da mesma maneira como
eles olham para as tuas fotografias,
tudo o que restou. São futuros eu,
são futuros tu e, ao mesmo tempo,
têm nomes que só lhes pertencem
a eles. Hão de ser melhores do que
nós. Sim, pai, hão de ser melhores
do que nós.

———

Amor, como as letras precisas
ou aleatórias que constituem
um poema. Amor, como bagas
maduras a explodirem sangue
doce na boca. Amor, como uma
romã, sem til, lida ao contrário.

―――

Atravessámos os longos corredores da internet
e encontrámo-nos.

Que coincidência ocuparmos o mesmo lugar,
os nossos dedos terem seguido as mesmas teclas,
ouvirmos exatamente o mesmo pensamento.

Posso abrir os olhos para dois mundos, prefiro este
onde estás. As cores da internet são tão profundas
como os múltiplos tons do céu ou das paredes.

Saber que existes é a grande descoberta da minha
quarentena. Percebo agora como tudo foi necessário,
mesmo este tempo, sobretudo este tempo.

Encontrámo-nos, sinto a tua mão a aproximar-se
devagar da minha.

―――

Apesar dos meus olhos, contenho uma tempestade,
é feita de noites a lutarem contra si próprias, de oceanos
a lutarem contra si próprios, enormes ondas noturnas
                                              [atiram-se
contra enormes rochas noturnas, céu e desespero.

Apesar dos meus olhos, apesar de te dizer bom dia
e de me responderes bom dia, apesar de estarmos às vezes
a pouca distância, a tua pele a pouca distância da minha
                                              [pele,
contenho uma tempestade e longos pensamentos.

Estes são os olhos que uso para ver-te, crescem ao fazê-lo,
a cidade muda de estação. Estes olhos são como árvores,
raízes estendem-se no seu interior e, sem que imagines,
és seiva, atravessas os ramos que nascem dos meus olhos.

Os meus olhos são como cartas que não escrevi ou,
                                              [noutras vezes,
são como cartas que escrevi e que não cheguei a pôr
                                              [no correio.
Por isso, quando me olhas, a pouca distância, quando
                                              [me respondes,
não me consegues ler. A minha telepatia é antiga e
                                              [adolescente.

Por isso, apesar do silêncio, estas palavras sob os teus olhos.
Saberás entendê-las? Chegarás a perceber que são para ti?
São apenas palavras e, no entanto, são seiva e, no entanto,
são os meus olhos a repetirem: espero-te, espero-te,
                                                  [espero-te.
―――

Num dia, todos os instantes. A memória
como um vidro entre agora e outro tempo.

Chegámos desde as fotografias da infância,
desde as poucas palavras, desde a nascente.

Num dia, a vida inteira, a idade remota
que nos chama através de cada madrugada.

Hoje, fizemos perguntas, mas já sabemos
as respostas: sim, queremos o futuro.

Mesmo que seja impossível evitar a pele
do inverno, queremos o futuro.

Mesmo que as noites queimem com sombra
e segredo, queremos o futuro.

Mesmo que o silêncio se parta como um copo
cheio de vida, queremos o futuro.

―――

Como numa fotografia, o instante
em que te distingo da paisagem.
No mundo em absoluto silêncio,
apenas o privilégio dos teus gestos,
a realidade toda feita de vidro. E tu,
focada no centro de um instante
desfocado, imortal e perfeita,
razão profunda.

———

Esta noite é um pensamento antigo, é última e
secreta porque tudo é sempre último e secreto.

Estou sentado ao teu lado como se ocupasse o
teu próprio espaço, respiro contigo dois versos

de cada vez. O silêncio é o teu nome, esteira de
todas as palavras, horizonte de todos os sons.

Entre as estrofes, o silêncio, o teu nome. Antes
e depois do que sei dizer, o silêncio, o teu nome.

Esta noite é a infância que passámos em ruas
diferentes, é a adolescência e todos os invernos.

Tínhamos uma sombra que se gastou, um rosto,
éramos desconhecidos que não se imaginavam.

Agora, estamos aqui. Estou sentado ao teu lado
e parece-me tão impossível que haja ainda mais

idades, mais surpresas, madrugadas e decisões.
Mas esta noite é infinita e mundial porque tudo é

sempre infinito e mundial. Amor, espera apenas
mais dois versos, este e o próximo, porque estou

aqui, quero agora jurar que estarei sempre aqui
e, no centro da palma da minha mão, um oceano.
―――

Sou eu, mas sinto que tenho a tua cara.
Olho para alguma coisa, lembro a tua
cara a olhar e, na maneira como sinto
a minha cara, sinto essa lembrança
da tua. Mexo os lábios, como agora,
e sinto que cada movimento é feito
com os teus lábios, com a lembrança
que tenho dos teus lábios. Felizmente,
passei muito tempo a ver-te e, agora,
disponho de muitas expressões: sorrio
com o teu sorriso, fico pensativo com
a tua cara séria, olho para ti como me
lembro de ver-te a olhar para mim.
Com a tua cara no lugar da minha,
é todo o universo que se transforma.
Sinto que tenho a tua cara, sou eu
a ser tu.

———

Estendo os braços, agarro o que me rodeia,
manhã, objetos desarrumados, quarenta e
cinco anos, jejum, e atribuo-lhe palavras.

Com as mãos lavadas, disponho essa coleção
sobre a toalha de mesa, analiso-a sem lupa,
tento não tremer.

E liberto cada peça nos meus pensamentos, uma
a uma, manhã, objetos desarrumados, quarenta e
cinco anos, jejum.

Flutuam numa galáxia, separam-se cada vez mais,
manhã, objetos desarrumados, quarenta e
cinco anos, jejum, talvez seja esta a última vez
que se encontram.

———

Sentimentalismo

Piegas não é um insulto, delicodoce não é um insulto,
mesmo que o pronuncies assim,
com a boca cheia de gelatina.

Está uma linha traçada no chão, vale mais ultrapassá-la
do que ficar ao longe, a tremer de medo.
É apenas uma linha traçada no chão,
não é a morte
ainda.

Por todos aqueles que se dirigiam à vida, que só esperavam
                              [vida
e que, sem saber, caíram desamparados no abismo opaco da
                              [morte;
por todos aqueles que acordavam de manhã, que se
                              [alimentavam
de ilusão, invencíveis perante a sua teimosia inocente,
                              [e que, na
dobra de um instante, desprotegidos da solidão, acordados
                              [a meio
de um sonho, caíram desamparados no abismo opaco da
                              [morte;
por todos aqueles olhares que refletiam a luz do dia,
                              [montras de
segredos, rostos que lembraremos com um sorriso brando
                              [e que,
sem motivo, caíram desamparados no abismo opaco da
                              [morte;
estas palavras frágeis e inúteis, este tempo breve
                              [e insuficiente.
Existiram como nós, foram gente como nós, sentiram
                              [como nós.
Por todas as palavras que disseram, pela forma humana
                              [como as

pronunciaram, pela memória incandescente da sua voz,
[pelo seu
tempo de pessoas, estas palavras incapazes, este tempo
[incapaz
e o caminho x ou y que escolhemos para segui-los.
―――

Oftalmologia

Tapo o olho esquerdo com a mão esquerda e,
de repente, perco metade do mundo.

Sou incapaz de desobedecer a esta bata branca,
a esta voz que, como a manhã, enche a sala,
desliza no brilho do mobiliário funcional,
no cheiro acre dos remédios.

Quero ser o melhor aluno da turma,
apesar de ser o único. Selecionaram-me
entre um grupo de desconhecidos
com cara de outono.

O doutor tem uma varinha fina,
habilitada para cortar o ar.
O doutor tem piadas que, nota-se,
repetiu muitas vezes.

O bico da varinha é vermelho e preciso,
poderia apontar cada letra deste poema
se, por acaso, alguém já o tivesse escrito.

O doutor não me pergunta pelo enorme E,
maiúsculo, soberano, rei absolutista
da pirâmide inquestionável.

Prescinde também da linha abaixo,
casal de consoantes aristocratas,
e também das linhas logo a seguir,
iniciais de palavras que apenas se usam
em certos dias.

Por fim, quando escolhe uma letra,
limpo a garganta para dizê-la.
Orgulhoso, sou realmente
o melhor aluno da turma.

Mas o doutor, solene, desce outra linha
e deixo de reconhecer a diferença
entre um C e um G.

Tapo o olho direito com a mão direita,
mas é tarde demais,
desaprendi.

Nas últimas linhas:
tinta misturada com água,
letras desfeitas pela chuva,
alfabeto de um deus
que jamais voltarei a ler.

Eis a solidão absoluta.

———

Tu sabes ver, acredita
nas cores que vês, este
verde é verde, não é
o único verde, nada é
único, mas é real e
sincero, se lhe fizerem
perguntas, responderá
a verdade, essa é
também a tua obrigação,
se fizeres perguntas
a ti próprio, responde
a verdade, acredita,
tu sabes, este verde é
verde, não é menos
verde do que qualquer
outro, claro ou escuro,
acredita, acredita,
acredita, tu sabes
ver.

———

GALVEIAS

Entro com a minha mãe no quintal da nossa casa.
A terra está coberta por folhas de várias estações.
Os pessegueiros perguntam por onde andámos,
porque demorámos tanto. As plantas dos canteiros
transbordaram, embaraçaram-se numa espécie de
desespero. A água do tanque de lavar a roupa é
verde. O pombal não tem pombos. A coelheira
não tem coelhos. A capoeira está habitada pela
memória de galinhas submissas e galos no poleiro,
desconfiados de qualquer movimento. Às vezes,
como antes, sentimos a chegada da gata, é uma
presença, uma intuição, vem cumprimentar-nos,
é uma gata livre, salta pelos quintais, escolhe as
pessoas com quem quer estar, apesar de invisível,
é agora o fantasma de uma gata. Ao fim da tarde,
com as janelas abertas, o que escreve a minha mãe
sobre a mesa da cozinha? Muito provavelmente,
escreve postais aos mortos, dá-lhes notícias com
a sua caligrafia de voltas demoradas. Ela própria
receberá esses postais quando for às casas vazias
ver se há correio.

―――

Soneto

Sou neto da Joaquina Pulguinhas
e do Luís Claudino. Não cheguei
a conhecê-lo, morreu cinco anos antes
de eu nascer, não pôde esperar.

Sou neto da Maria Vicência Peixoto
e do José Peixoto. Os pais do meu pai
também já tinham morrido, eu ouvia-o
falar deles, mas também ele já morreu.

Só a mãe da minha mãe chegou a ver-me
e a chamar-me neto, dizia: o meu neto.
Ainda consigo distinguir a sua voz.

Mas, agora, esse tempo é feito de mármore,
está suspenso em fotografias esmaltadas e
sou neto de todos da mesma maneira.

———

Não é um gato, é uma gata.
Compreendo que seja mais fácil
reduzir todos os gatos a gatos,
mas peço-lhe que, por fineza,
abra uma exceção. É uma gata,
não amamentou gatinhos,
ou porque não teve escolha,
ou, mais provavelmente,
porque não quis. É uma gata,
aluada em certas noites,
a lamber-se sem vergonha,
a desfrutar do seu próprio cio.
Compreendo que seja mais fácil,
sei que não fez por mal, nunca
ninguém faz por mal, já reparou?
Mas peço-lhe que preste atenção
e, no futuro, não volte a cometer
esse erro tão comum. É uma gata,
não é um gato, é uma gata.

―――

Sei que um dia vão desaparecer estas mulheres.
Os seus olhares deixarão de varrer o granito,
a sua sombra há de misturar-se com a claridade
incandescente da hora do calor em pleno agosto.

Todas vestidas de preto, lenço na cabeça, preto,
as pontas do lenço atadas por baixo do queixo,
vão desaparecer uma a uma, em velórios de toda
a noite, acompanhados por cada vez menos gente.

Então, ninguém conseguirá explicar o motivo
por que nunca lhes foi permitida outra cor.
E o tempo destas mulheres parecerá irreal,
bastará o início de um sopro para desgastá-lo,

elas próprias se terão transformado num sopro,
numa palavra por dizer. Afinal, não eram eternas,
havia uma idade, definitiva, ainda a esperá-las.
Quem lavará as suas campas no cemitério?

―――

Belarmino

Não temos agora maneira de explicar os rebanhos
aos nossos filhos. Em dias como hoje, há uma aragem
que vem do campo, passou rente à terra, desce pela
rua de São João e pelo fim da tarde, conforme o rebanho
de ovelhas do teu pai noutro tempo. Recordas ainda
o cheiro da lã? Às vezes, em criança, ficavas sério
de repente. Desde que morreste, é quase sempre
com esse rosto que te vejo. Tínhamos cinco anos e
todos os cães se chamavam Fadista, eram animais
orgulhosos do seu trabalho, sabiam distinguir-nos
dos rapazes que vinham de Lisboa, férias da Páscoa,
deixavam-nos levantar a mão, pousar-lha com respeito
sobre a cabeça. Não temos agora maneira de explicar
o olhar desses cães aos nossos filhos. A tua principal
obra não foi morrer, embora custe esquecer a tua campa
de mármore, custa esquecer este preciso instante.
Foste o meu primeiro amigo. Na última vez que nos
vimos, apresentaste-me a tua filha e deste-me a notícia
da criança que estava para nascer. Havia tanto futuro,
despedirmo-nos seria uma ideia ridícula. Acreditávamos
ainda, como quando não chegávamos aos figos e,
livres de dúvidas, subíamos às figueiras, rodeados por
verão, os nervos das folhas atravessadas pelo sol.
Não sabemos o que é a vida. Parece infinito o tempo
que passávamos a regressar juntos da escola ou,
quando já éramos adolescentes, a regressar juntos

do terreiro e, no entanto, a morte como um muro,
tu desse lado, eu deste lado, a morte como um muro
caiado e incandescente.

―――

Em 1982, no campo de terra da azinhaga do Espanhol, éramos todos Zico, Falcão, Sócrates, mas quando os rapazes mais velhos davam um pontapé com toda a força na bola, obrigavam-nos sempre a ir buscá-la lá ao fundo, entre as oliveiras. Às vezes, de repente, parece-me que só fui buscar a bola. Se me voltar para trás, ainda estão todos lá.

―――

COREIA DO NORTE

No 25º andar do hotel Yanggakdo

Eis o meu corpo aqui, quase sem motivo, e eu
talvez dissolvido no cheiro dos lençóis, detergente
ácido e pobre, ou talvez espalhado sobre estas alcatifas
onde repousam anos polvilhados, décadas inteiras
que morreram aqui, exatamente neste quarto.

O meu corpo deitado sobre esta colcha áspera, e eu
recordando aquele cão que o meu pai perdeu no mato
enquanto fingia caçar pombos. Foi há tanto tempo.
O meu corpo e eu não tínhamos mais de doze anos.
Recordo o olhar desse cão, a amizade com que me recebia
quando chegava da escola. Recordo o seu nome,
não o menciono porque ficaria mal no poema.

É a luz desta hora que me ilumina os pensamentos,
desce do céu e escolhe um lugar difícil entre as sombras.
São estas cortinas conformadas com o fim do dia
que me iluminam os pensamentos.

Era um domingo como hoje. O meu pai chegou
de mãos vazias, nenhuma caça à cintura, e contou-nos
que tinha perdido o cão. Procurou, chamou, assobiou
e só recebeu resposta do silêncio.

O silêncio. Na cozinha da nossa casa, a minha mãe e eu
partilhámos um luto sem palavras.

Depois, talvez tenha subido ao meu quarto e talvez
me tenha deitado sobre a cama, sobre a colcha. Agora,
esse seria um paralelismo de extrema conveniência,
mas não consigo ter a certeza. Agora, mais concreta é a pena
que senti desse cão perdido, indefeso perante a noite
que pousava sobre o seu desespero ou sobre a sua ilusão.

Eis este tecto suspenso, corpo, e a presença desta cidade, eu,
paisagem que poderia contemplar se me aproximasse da janela.
Este tecto e esta cidade são uma boa metáfora do tempo
ou da morte, do tempo e da morte.

Passados três dias, sujo, magro, gasto, o cão regressou.
Como se nunca tivesse duvidado do seu instinto,
entrou pela porta do quintal, habituado às folhas caídas.
A partir daí, fomos capazes de amá-lo muito mais.

Essa é a grande diferença. Se me deixarem aqui,
perdido do meu corpo, nunca serei capaz de encontrar
o caminho para casa.

———

No topo da Torre da Ideia Juche

Às vezes, parece que consigo distinguir vento na paisagem,
como esta mão a passar por um vidro, os riscos mais
                                      [ou menos
paralelos dos dedos no vidro ou, talvez, como um grito
que não existiu. Cheguei a antecipá-lo mentalmente,
mas foi interrompido no preciso instante em que
teria início. É esse lapso repentino que provoca a ilusão
de vento na paisagem.

Imperturbável, a Casa de Estudos do Povo. O rio Taedong
é uma superfície imóvel de mercúrio. A cidade mistura-se
                                        [com
o nevoeiro. No interior desse opaco, os altifalantes tentam
                                        [erguer
um esqueleto que suporte esta hora, mas esta hora é feita de
                                        [granito,
esta hora é uma praça vazia, é um hotel em construção
permanente, um hotel de 330 metros de altura
em construção permanente.

―――

Entre os piqueniques
da Colina Morambong

É esta mão a estender-me um copo de soju.
É esta mão feita de madeira antiga, áspera
e suave, cor escura e veias salientes.

Sentado no chão, o homem não tem olhos,
afundou-os na loucura com que ri e,
no entanto, olha só para mim.

É um grupo de homens sentados no chão,
a olharem-me e a rirem da mesma maneira.
Ao seu lado, caixas de plástico com restos
de uma abundância que, devagar, ao longo
de toda a tarde, foi assada em tiras muito finas
sobre brasas agora apagadas.

Estamos juntos na voz de uma mulher que,
ao longe, canta uma canção aguda ao microfone:
cobre os campos, os pavilhões e os lagos.
O centro desse círculo está no meio dos vultos
que, ali, depois daquele verde, dançam à sua volta,
desordenados e em vertigem, atravessados
por uma velha que toca tambor.

Lá de cima, desde o grande céu, somos
cores pontilhadas na natureza.

As crianças correm nos caminhos,
são como sopros, atravessam a música e
os pensamentos, levam as suas melhores

roupas e toda a infância. As crianças
ligam pontos invisíveis e, assim, reconstroem
a colina, formam terreno imaterial.

Entre estes homens que me olham, que esperam
um gesto, há maços de cigarros abertos. De camisas
desabotoadas, podem fumar se quiserem, podem
fazer muitas coisas se quiserem. Enquanto me olham,
não imaginam o que não podem fazer.

O homem faz-me sinais com a cabeça:
aceita, aceita, aceita. O homem espera
desde o início da vida.

A mão estende-me um copo de soju,
dedos de trabalho, uma pedra na colina,
unhas cortadas com a lâmina de um canivete.

É soju turvo, grosso como azeite novo, amargo
e enjoativo, murro na boca do estômago.
Não desiludi os homens, riem mais agora.
Não desiludi o homem, é o mais esperto.
Estende-me uma goma chinesa, cor-de-rosa,
coberta por cristais de açúcar.

É esta mão a estender-me uma goma, um doce
estrangeiro para tirar o sabor do soju.

A mão dele, a minha mão.
———

De passagem

Ao passar pela cidade de Nampo, a ir ou a voltar da famosa
Barragem do Mar do Oeste, a janela do autocarro é uma
tela gigante, composta com detalhe e mão firme por
n soldados-pintores: as crianças e as árvores, as bicicletas
de homens muito direitos, as raparigas de braço dado,
companheiras de horas sem peso, tréguas na tarde cinzenta,
os velhos de cócoras a debaterem a calma do feriado e,
de repente, uma mulher parada a olhar para mim.

Não há distância. Ao longo de um instante, a mulher fala
para dentro de mim. Essas palavras não são palavras,
são segredos incandescentes à procura de uma língua.

É já quando o autocarro se afasta e a mulher desaparece
que a procuro na memória. Então, peço-lhe desculpa e
explico-lhe que só sou capaz de escrever poemas
sobre a minha mãe.

———

OEIRAS

A nossa casa

Pertencemos mais ao chão, ao mar ou ao céu?
Estacionamos o carro lá em baixo, carregamos
no botão do 7 e, assim que entramos em casa,
ficamos rodeados por janelas. A fronteira entre
o mar e o céu parece evidente e, no entanto,
ao tentar fixá-la, percebemos que é muito mais
incerta do que imaginávamos. É também assim
quando olhamos para aqui: a nossa casa agora.
O André está no seu quarto a jogar no computador.
A Victória está no seu quarto a dançar. Na sala,
estamos nós a imaginar-nos velhos. Os livros
são paredes, como o oceano. Os pensamentos
que tens de manhã, quando andas acordada
antes de mim, estão espalhados pela decoração,
tal como os pensamentos que tenho à noite,
depois de teres adormecido. A rotina doméstica
é tão pouco valorizada e, no entanto, havemos de
ler odisseias nas lembranças deste tempo. Ulisses
teria feito bom uso do farol do Bugio. Sentiremos
saudades de estar presos no elevador, de ficar
embaraçados na trela dos cães, de deixar cair
peças de roupa lá para baixo. Somos um povo
saudosista, mais difícil é este aqui, agora, sermos
capazes de agradecer a paz da nossa casa e esta
ligeira dor lombar. Paço de Arcos é um substantivo
atlântico. A nossa casa é um verbo. Ao longo da vida,

não nos despedimos da maioria das coisas que perdemos. Felizmente, não temos de despedir-nos deste aqui e deste agora, são nossos para sempre.

———

Praia da Torre

Há ainda pessoas na areia, já vestiram a camisola ou,
pelo menos, pousaram um agasalho sobre os ombros.
Pousaram esta hora sobre os ombros. Estão espalhadas
em grupos, montes separados de pessoas na areia,
as suas vozes sobre esta hora, misturam as vozes
com o tempo. As suas bandeiras são guarda-sóis
fechados, cores desbotadas por verões antigos ou
por esta luz morrente. São as pessoas que sobraram,
não temem o início da noite, têm a pele coberta
de praia. E nós, num canto, junto às rochas, juntos,
junto ao Forte de São Julião da Barra, despejamos
o saquinho de plástico com as cinzas do Farrusco.
Durante o inverno, vimo-lo correr aqui, corremos
ao seu lado. Um agasalho sobre os ombros, esta hora
sobre os ombros, as vozes sobre esta hora. As cinzas
sobre a areia, o mar sobre as cinzas, a noite sobre o mar.

―――

Victória

Sei que estás a dançar por trás da porta fechada do teu quarto. Desculpa denunciar-te, mas essa é a maneira de entrares no poema, sê bem-vinda ao poema.

Que tenho eu para conversar com uma menina de 12 anos? Há perguntas que são como árvores no outono, morrem devagar, chovem folha a

folha.

Também assim, despedimo-nos constantemente para sempre. Quando vou chamar-te para jantar, abres a porta e cresceste de repente. Eras uma menina

desdentada. Agora, estás no sétimo ano, as tuas amigas mandam-te mensagens e, talvez por isso, sou obrigado a acreditar que passou muito tempo.

Esta casa forjou o nosso parentesco, cruzámo-nos no corredor, sentámo-nos no sofá, tu nessa ponta, eu nesta. O nosso parentesco é uma quarentena privada.

Somos criaturas de raça híbrida, não cabemos
na natureza, precisamos de explicar-nos como
aquelas pessoas que têm sempre de soletrar
o nome.

Tão habituada a elogios, a língua portuguesa falha
ao tentar definir-nos com substantivos obsoletos,
pronunciados como uma espécie de castigo: enteada
e padrasto.

Não cabemos nesse dicionário, repleto de palavras
que não existem, silêncios que são como torneiras
mal fechadas, a desperdiçarem indizível, gota a

gota.
———

.

Não sei o nome desta árvore que lança flores amarelas
sobre o passeio. Cada flor é um momento delicado, tem
o seu próprio voo, mas encontra outras flores no passeio,
e formam linhas amarelas nos intervalos do empedrado.
Quando saio de casa, é aqui que chego. Oeiras responde
aos meus pensamentos. Caminho pela longa descrição
de uma manhã de maio, esta manhã. Oeiras estende as
mãos na minha direção, ampara-me, sussurra espertezas
que não poderia partilhar com quem mantivesse menos
intimidade. Por fim, entro no Parque dos Poetas como se
entrasse num poema, o que não me surpreende porque
estou debaixo deste céu, de toda esta claridade. Estamos
a efetuar trabalhos de requalificação, diz a tabuleta com
letra de imprensa, encostada ao canteiro. Observo a forma
da água que jorra de uma mangueira. Lá longe, existe o
trânsito como um gesto sobre os gestos. Aqui, os pássaros,
as vozes quebradiças das crianças, ecos de quando vinha
com o meu filho, há muito tempo para nós, há pouco tempo
para a pedra e para a eternidade dos nomes gravados
na pedra.

———

TAILÂNDIA

Inclino-me nas curvas, sou projetado para trás
nos arranques da aceleração, agarro-me bem,
vou numa moto-táxi no trânsito de Banguecoque,
escuto black metal escandinavo, bateria com
duplo bombo, o condutor é um desconhecido
de rosto coberto, avança no interior de um túnel,
sempre em frente, mesmo que seja preciso
contornar um labirinto de carros, somos um
exército de vikings negros, passamos por vielas
da Chinatown, atravessamos pontes sobre canais,
lançamo-nos em enormes avenidas, pequenos
de repente debaixo de arranha-céus, passamos
por quintais privados, famílias a almoçar que
não se dignam a olhar para nós, gatos e galinhas
saltam à nossa frente, atravessamos um parque
de estacionamento, e a bateria sempre, os pés
do baterista nos pedais, rajadas de metralhadora,
as guitarras como hélices de helicópteros, esta
é a nossa loucura, este é um grito desde o fundo
da garganta, as imagens de Banguecoque duram
menos de um segundo, as ideias não chegam
a terminar, são atropeladas por outras, a cidade
sucede-se à cidade, black metal sinfónico, caos
criteriosamente organizado, sem medo do fogo,
arrastando o fogo e semeando um incêndio à sua
passagem, a estrada queimada pelo sol, por esta

hora inclemente, ardem os telhados dourados
dos templos, inclino-me nas curvas, sou projetado
para trás nos arranques da aceleração, e sou
esmagado contra as costas do condutor na última
travagem. Que não haja qualquer dúvida:
estou vivo.

―――

Prabda Yoon

Caminhamos pela Silom ao ritmo pausado da tua voz. Demos o primeiro passo no Parque Lumpini, palavra a palavra e, de repente, ninguém transpira em Banguecoque, todos os soi são brancos e minimalistas. Ao passarmos por Patpong, giramos a cabeça sobre o pescoço e constatamos aquilo que já sabemos: a tua voz é capaz de abrandar toda a cidade. Caminhamos pela Silom conscientes da transitoriedade de tudo, respiramos com calma aceitação.

———

Aldeia da tribo Mlabri

A aldeia inteira estava entregue a uma velha.
Homens, mulheres e crianças saíram cedo
pela estrada de terra e pedras em que cheguei.

Supor que apanhava uma tribo nómada em casa,
eis a minha ingenuidade. A velha não desvia o olhar,
essa parece-lhe uma boa maneira de passar a manhã.

Meia dúzia de cães anestesiados, demasiado calor,
roupas a secar, já secas, atiradas sobre bambus,
montanhas a rodearem-nos de sons naturais.

Na cidade, contaram-me que os membros da tribo Mlabri
mudam de lugar assim que amarelecem as folhas
de bananeira que usam para cobrir os telhados.

Achei uma bela história, antropológica, mas a vida
não se compadece. Telhados cobertos por folhas de zinco
demoram bastante mais tempo a amarelecer.

As crianças estão na escola. Os homens e as mulheres
estão nas plantações de milho, deixaram casas desertas,
vestígios de fogueiras e pedaços de motorizadas.

A velha e eu formamos uma tribo inédita. Olhamos
um para o outro. Às vezes, passa uma brisa muito leve,
arrasta embalagens vazias de rebuçados e pó.

———

Baía de Phang Nga

Escolhe uma entre as mil árvores entrançadas
que se penduram em escarpas de ilhéus
sobre as águas planas da Baía de Phang Nga.

Enquanto passas no teu barco de madeira,
envia-lhe em silêncio todo o bem-querer.
Ela entenderá, essa é a língua das árvores.

Deseja-lhe com sinceridade que seja feliz,
que apenas conheça a vida leve e justa,
que os pensamentos não a atormentem.

Assim, quando estiveres longe, esta árvore
ainda se lembrará de ti. Será manhã sobre
este mar que te impressionou, será noite

talvez onde estiveres. Se o peso da angústia
não te cegar, se não te afogares no peso
da angústia, talvez te lembres dela também.

O mais certo é que nunca se voltem a ver.
Mesmo que regresses a esta baía, ela será
indistinta entre mil árvores entrançadas,

e tu serás indistinto entre mil que passam
em barcos de madeira como este, que levantam
a mesma espuma, que deixam o mesmo rasto.

Mas, para sempre, no grande tempo absoluto,
na ordem secreta, final e indestrutível, ela será
a tua árvore e tu serás a pessoa dela.

———

CHINA

Palácio de Verão

A cidade de Pequim é o impossível. Como a imperatriz, preciso descansar do impossível. Avanço por este corredor talvez infinito, na margem do lago talvez infinito. Sou uma pessoa largada no mundo. Estive aqui com os meus filhos e, agora, ao regressar sozinho, doem-me os lugares onde estivemos, identifico-os a partir de fotografias que não sei se chegámos a tirar. A vida é tão fugaz, parece-me agora e, no entanto, preparo-me para subir a colina da longevidade outra vez. Como a imperatriz, pertenço a uma dinastia. Preciso descansar e, por isso, tenho ao dispor o jardim dos interesses harmoniosos, o templo do mar da inteligência, a galeria dispersadora de nuvens. Saberei utilizá-los? Agora, parece-me que estes nomes são apenas grãos de pó mal traduzidos. Quero muito estar aqui e, no entanto, tenho saudades dos meus filhos. Para regressar a casa, possuo um barco de mármore. Como a imperatriz, tenho de esforçar-me para não enlouquecer. Estou contido em Pequim e, ao mesmo tempo, contenho Pequim.

———

Talvez conheças esta pequena rua, a pouca distância do Templo Yonghe, a que os estrangeiros como eu chamam Templo de Lama, a norte do hutong Wudaoying. Passam marés de pessoas, bicicletas elétricas e, às vezes, muito devagar, toda a gente a ter de afastar-se, um carro. A luz deste céu maciço esclarece a tarde e, através de vitrinas limpas, a tarde clarifica este lugar onde estou sentado diante do meu caderno e de um bule de 茶. Não reparei nela logo que entrou, esta mulher solene. Escuto dentro da minha cabeça uma música que lhe pousa lentamente sobre a pele, é o som de uma flauta de bambu, toca-lhe o início do pescoço, os vincos no canto dos lábios, não é uma menina, é uma mulher. É tão suave esta melodia, transporta montanhas. A mulher está sentada como eu. Observo-lhe os cabelos, a testa e, de repente, os olhos. São linhas delicadas, direitas e, ao mesmo tempo, são universos, poderia passar a vida inteira a desvendá-los. Olhamo-nos, alguma coisa de encontro a alguma coisa e, no entanto, não parece existir toda a estranheza dos desconhecidos. Durante um instante deste tempo solto do tempo, chega-me aos braços a vontade de falar-lhe deste poema, contar-lhe que estará num poema, mas logo a seguir concluo que não conseguiria explicar-lhe esse pequeno mundo, este pequeno mundo a que, afinal, pertenço. E desvio o olhar. Esta mulher nunca lerá o poema onde a imaginamos.

―――

Chengdu

Impressiona-nos estar tão longe de casa. No Parque do Povo,
com as duas mãos, pousamos chávenas de chá sobre mesas
de pedra. À mesma velocidade, flores de lótus flutuam no lago.
Por 10 yuan, especialistas com um cinturão de ferramentas
limpam-nos as orelhas. Olham demoradamente através desse
canal, observam ideias esdrúxulas, tentam compreendê-las.
Mas nós comparamos a província de Sichuan com Fornos de
Algodres e com o Alto Alentejo. Quem poderia imaginar que
fosse tão curto o caminho entre a rua de São João e a rua
Chunxi? De repente, percebemos que somos uma família
de pandas. Toda a gente olha para nós porque falamos alto.
As minhas irmãs e os meus cunhados refletem as cores
dos neons nas lentes dos óculos. Mas nós queremos é
a confusão de Jinli. Enchemos dois táxis, tememos que um
se perca do outro e nunca mais nos encontremos na vida.
Entre multidões espremidas em vielas, somos uma família
de pandas, comemos massa picante com pauzinhos e,
pelo menos, sabemos pronunciar Chengdu corretamente.

———

Estamos por acaso em Taiyuan, seguimos multidões apenas porque essa é a nossa melhor hipótese de chegar a algum lado. Decido comprar uns sapatos na loja mais desesperada de toda a China. Rimo-nos durante toda a compra, escolho, negoceio, rimo-nos nós e ri-se a vendedora, nós rimo-nos na nossa língua, ela ri-se na língua dela. O solstício de verão preenche as ruas, é como um filtro sobre o início da noite. Os homens que vendem cachorrinhos junto ao semáforo seguram-nos só com uma mão, o peito do animal assente na palma da mão. Há motas elétricas na estrada, luzes em movimento. Que ideia terão aqueles cachorros acerca do futuro? Bendito seja o mês de junho, bendito seja o cheiro a fritos. Malditos sejam os sinólogos que querem ser donos da China. Bendito seja o pinyin, bendito seja o picante em noites de calor, bendita seja a transpiração, as camisolas de alças levantadas até debaixo dos braços, as barrigas brancas. Viva a província de Shanxi e os comboios de alta velocidade. Viva o povo e os vultos fugidios, furtivos e fugazes do povo.

―――

TRADUTORES

Maho Kinoshita

Sim, traduzir livros é carregar uma taça de água.
Seguras essa taça com as duas mãos, superfície rasa
de água, reflete o teu rosto e o céu. Como são belas
as cores refletidas nessa água imóvel. As tuas mãos
não tremem, sabes que qualquer solavanco mínimo
fará verter gotas desse líquido precioso, mas sabes
também que tens um longo caminho. Transportas
água e vogais, som e sentido, aprecias cada momento
de cada palavra, água, mas há pedras no alfabeto,
veredas onde não passa ninguém há muito tempo,
e, por isso, escorrem gotas pelas paredes da taça,
caem no chão, afundam-se na terra do caminho.
Seguras a taça com as duas mãos, diante do peito,
e, quando chove, quando os céus decidem chover,
essas gotas atravessam linhas secretas no ar e voltam
a encher a taça. Escorre-te água pelos cabelos, levas
a roupa molhada, colada ao corpo, és um corpo
no meio da tempestade, conheces o teu trabalho.
Sim, traduzir livros é carregar uma taça de água
através de fronteiras, através de montanhas,
através das palavras que a tua mãe te ensinou
e das palavras que a minha mãe me ensinou.
Sabes que perdes e ganhas durante o caminho,
sabes que, no fim, havemos de encontrar-nos.
Ficaremos em silêncio. E, com olhos sobrepostos,
veremos a mesma coisa.

———

Athena Psillia

O trabalho que temos para cumprir é a justiça.
O alfabeto de que dispomos é o voo: uma pedra
atirada ao ar, pássaros que flutuam através de
vogais antigas, um Boeing que imaginamos
por detrás das nuvens, uma folha no outono,
um verso interrompido a meio de

———

Daniel Hahn

Aqui e aí, como chuva, o barulho dos dedos no teclado do computador. Tento abrigar-me, mas escorrem sílabas pelas varetas do guarda-chuva. O vento é feroz, atira-me vogais de todos os lados. Imagino-te em lugares como Birmingham ou Sheffield e sei que não posso queixar-me porque aí chove a sério, a barra de espaços não chega para salvar-te. Com a gola da gabardina até às orelhas, continuamos a escrever. É assim sempre, todos os dias, não precisamos ver o boletim meteorológico.

―――

Antonio Sáez Delgado

Este poema podia chamar-se Península e, no entanto,
conhecemo-nos numa ilha. Talvez por isso, encontramo-nos
sempre em ilhas. Não vale a pena contar agora a nossa
[história,
seria preciso contar metade das nossas vidas. Estes versos não
querem roubar branco à página, não querem roubar oceano.
Assim, como entre o Alentejo e a Extremadura, os poemas são
passagens, tu atravessas para o lado de cá, eu atravesso para
o lado de lá.

———

Filinto Elísio

Tenho a lembrança de uma esplanada, mas
talvez esse momento não tenha existido.
Era Cabo Verde, eram os anos da literatura,
havia uma branda irresponsabilidade à solta
sobre a paisagem. Vento ou música varria
a areia negra.

Tínhamos a certeza de que as palavras haviam
de permanecer e, incrivelmente, contra tudo,
permaneceram. As palavras eram os grãos de areia
que se colavam à pele quando enterrávamos a mão
durante um instante, só para sentir a memória
do vulcão.

———

BIBLIOGRAFIA

Morreste-me

Como nos papéis onde calculavas a vida,
arrumados na tua gaveta ou esquecidos
sobre a mesa da cozinha,
esta conta:

as horas que passámos nas viagens
de regresso a casa são agora
menos do que as horas lidas no livro
onde descrevi essas viagens
de regresso a casa.

E, no entanto, aquele tempo
brilha ainda no interior
dos meus olhos
fechados.

E, no entanto, as palavras,
como árvores.

E, no entanto, aquele tempo.

E, no entanto, as palavras,
desde a raiz mais profunda,
levam o sangue da terra,
decantado, condensado,
até à folha mais alta
do último ramo.

―――

Uma casa na escuridão

Fecho os olhos e está tudo dentro de mim:
a casa, o homem sem pernas e sem braços,
a música. E as sombras, claro. Atravessei
muitas vezes as sombras, escrevi-as
em pensamentos que decidi não publicar.
Há um tempo que continua e há um tempo
que permanece. No mundo tangível,
refém de notícias de jornal e de misérias,
a escrava envelheceu. Mas dentro de mim,
terá sempre a pele constante dos sussurros.
Há dias em que me suplica para ser escrita,
fala-me de calicatri, tenta hipnotizar-me.
Mas agora sou adulto e tenho medo,
também eu sou cativo de alguma coisa
que levo no meu interior. Sim, o abismo
de estar dentro de mim a estar dentro
de mim a estar dentro de mim, como
um espelho a refletir outro espelho,
como uma explicação da eternidade.
Mas um dia, vais ver, abrirei o peito
às invasões, às espadas, ao sangue,
e toda a verdade será rasgada e exposta.
A luz e a escuridão. Sempre essa guerra:
a luz e a escuridão.

―――

Livro

Descreveste a mais longa viagem que fizeste numa agenda de bolso de 1963. Guardaste-a durante mais de 30 anos. Assim que morreste, perdi-a em 15 dias. Lá na França, lá na França: muitas das histórias que repetias começavam assim. Quando algum acidente te contrariava, dizias: ô, lavache. Carregaste Paris nos olhos durante todos os anos em que foste meu pai. Quem achou essa agenda de 1963, não soube reconhecer o tesouro que encontrou.

———

Abraço

Quando os meus filhos se abraçam, como acontece
nas páginas desse livro, ocorre um fenómeno insólito:
sou eu que me abraço: uma parte de mim abraça
outra parte de mim. Este é o ângulo que posso ver,
aquele que me é permitido pela natureza. No entanto,
por força e por lógica, existe outro ângulo, onde
ocorre um fenómeno ainda mais excêntrico:
quando os meus filhos se abraçam, como acontece
nesse texto a que dei o título *Os irmãos*, abraçam-se
duas pessoas que não conheço: uma pessoa que
tem pensamentos inacessíveis abraça outra pessoa
que tem pensamentos inacessíveis e, ao mesmo
tempo, uma pessoa que existirá depois de mim,
que terá memórias cada vez mais desgastadas
de mim abraça outra pessoa que também existirá
depois de mim, que também terá memórias
cada vez mais desgastadas de mim.

———

Autobiografia

Não é uma autobiografia.
Quando cito alguém, não me transformo
na pessoa que disse essas palavras
pela primeira vez. Todos os reflexos
distorcem, até o deste espelho,
sobretudo o deste espelho.
A minha história, contada por mim,
não é a minha história.

Mas é uma autobiografia.
O tempo e as tentativas de vivê-lo,
ou de narrá-lo, são irreversíveis.
Incrivelmente, dos 87 anos da tua vida,
há instantes que só eu recordo,
e, por isso, apesar de breves,
pertencem à minha vida. Além disso,
olhámo-nos nos olhos.

———

Regresso a casa

Não era o Mediterrâneo de Ulisses, ou talvez fosse,
não era a estrada entre Lisboa e Galveias, ou talvez fosse,
era uma ideia que custa agora explicar: a sensação
de que já não tinha lugar na minha casa. Era o medo.
Percebo agora que um nómada de quarentena
nunca para de viajar, principalmente se leva a Ásia
por baixo da pele, se continua a imaginar mistérios.
Porque demorei tanto a fazer este caminho?
Perguntas como esta são para se responder
a pouco e pouco. Afinal, havia muitas estradas
para chegar aqui, havia dias seguidos num diário,
páginas para traduzir palavra a palavra. Afinal,
havia amigos. Havia toda esta família que me olha
e que olho. Aqui estou de novo. Pronto para o
almoço de domingo.

―――

ÍNDICE

5   Repara na manhã que nos rodeia

Odisseia

9   Eis Ulisses em seu longo caminho, avança pelas vagas
10   Este navio dispensa o leme. Estes marinheiros dispensam
11   Quem espera depende de quem chega

Quarentena

15   Olhamo-nos nos olhos pela internet
17   Quarentena
19   As águas passam a velocidade
20   Sonhei com amigos que não vejo há muito tempo ou
21   Então, descobrimos que tínhamos
22   Rego os vasos da varanda e, de repente

Diário

25   As estantes são ruas. Os livros são casas onde podemos entrar
26   Secção de poesia
27   As páginas dos livros colam-se aos dias, carregamos ecos
28   Perante o choque do impensável
29   Olho agora para o livro que me emprestaste
30   Certeza
31   Em momentos espantosos, passeei de mãos dadas com os meus pais
32   As primas
33   Pai, apresento-te o João e o André
34   Amor, como as letras precisas

35	Atravessámos os longos corredores da internet
36	Apesar dos meus olhos, contenho uma tempestade
38	Num dia, todos os instantes. A memória
39	Como numa fotografia, o instante
40	Esta noite é um pensamento antigo, é última e
42	Sou eu, mas sinto que tenho a tua cara
43	Estendo os braços, agarro o que me rodeia
44	Sentimentalismo
45	Por todos aqueles que se dirigiam à vida, que só esperavam vida
47	Oftalmologia
49	Tu sabes ver, acredita

Galveias

53	Entro com a minha mãe no quintal da nossa casa
54	Soneto
55	Não é um gato, é uma gata
56	Sei que um dia vão desaparecer estas mulheres
57	Belarmino
59	Em 1982, no campo de terra da azinhaga do Espanhol

Coreia do Norte

63	No 25º andar do Hotel Yanggakdo
65	No topo da Torre da Ideia Juche
66	Entre os piqueniques da colina Moranbong
68	De passagem

Oeiras

71	A nossa casa
73	Praia da Torre

74 Victória
76 Não sei o nome desta árvore que lança flores amarelas

Tailândia
79 Inclino-me nas curvas, sou projetado para trás
81 Prabda Yoon
82 Aldeia da tribo Mlabri
83 Baía de Phang Nga

China
87 Palácio de Verão
88 Talvez conheças esta pequena rua, a pouca distância do
89 Chengdu
90 Estamos por acaso em Taiyuan, seguimos multidões
      apenas

Tradutores
93 Maho Kinoshita
94 Athena Psillia
95 Daniel Hahn
96 Antonio Sáez Delgado
97 Filinto Elísio

Bibliografia
101 Morreste-me
102 Uma casa na escuridão
103 Livro
104 Abraço
105 Autobiografia
106 Regresso a casa

Coleção Gira

A língua portuguesa não é uma pátria, é um universo que guarda as mais variadas expressões. E foi para reunir esses modos de usar e criar através do português que surgiu a Coleção Gira, dedicada às escritas contemporâneas em nosso idioma em terras não brasileiras.

CURADORIA DE REGINALDO PUJOL FILHO

1. *Morreste-me*, de José Luís Peixoto
2. *Short movies*, de Gonçalo M. Tavares
3. *Animalescos*, de Gonçalo M. Tavares
4. *Índice médio de felicidade*, de David Machado
5. *O torcicologologista, Excelência*, de Gonçalo M. Tavares
6. *A criança em ruínas*, de José Luís Peixoto
7. *A coleção privada de Acácio Nobre*, de Patrícia Portela
8. *Maria dos Canos Serrados*, de Ricardo Adolfo
9. *Não se pode morar nos olhos de um gato*, de Ana Margarida de Carvalho
10. *O alegre canto da perdiz*, de Paulina Chiziane
11. *Nenhum olhar*, de José Luís Peixoto
12. *A Mulher-Sem-Cabeça e o Homem-do-Mau-Olhado*, de Gonçalo M. Tavares
13. *Cinco meninos, cinco ratos*, de Gonçalo M. Tavares
14. *Dias úteis*, de Patrícia Portela
15. *Vamos comprar um poeta*, de Afonso Cruz
16. *O caminho imperfeito*, de José Luís Peixoto
17. *Regresso a casa*, de José Luís Peixoto

Descubra a sua próxima
leitura em nossa loja online

dublinense .COM.BR

Composto em MINION e impresso
na PALLOTTI, em PÓLEN BOLD
90g/m², em AGOSTO de 2020.